AVEK L'AIDE DE MR. SHEPARD

D'après l'œuvre originale de A. A. Milne et E. H. Shepard
Hachette Collections
43, quai de Grenelle
75905 Paris Cedex 15
ISBN collection : 978-2-84634-054-0
ISBN ouvrage : 978-2-84634-928-4
Loi n° 49 956 du 16.7.1949 sur les publications destinées à la jeunesse
Achevé d'imprimer : avril 2011
Imprimé par Tien Wah Press à Singapour
Dépôt légal : avril 2011

Pour l'éditeur, le principe est d'utiliser des papiers composés de fibres naturelles, renouvelables, recyclables et fabriquées à partir de bois issus de forêts qui adoptent un système d'aménagement durable.

En outre, l'éditeur attend de ses fournisseurs de papier qu'ils s'inscrivent dans une démarche de certification environnementale reconnue.

Disney

Winnie l'Ourson

hachette

Au cœur de la forêt des Rêves Bleus vivent
un garçon nommé Jean-Christophe et son ours
en peluche, Winnie l'Ourson.
Un matin, lorsque Winnie se réveille, son ventre
a particulièrement faim de miel. Mais Winnie
n'a plus une goutte de miel chez lui. Il décide
donc de sortir pour aller en chercher.

Tout d'abord, Winnie se rend chez Bourriquet. Mais Bourriquet n'a pas de miel. Puis Winnie remarque que Bourriquet n'a pas de queue non plus. « Moi, Winnie l'Ourson, je vais retrouver ta queue » lui promet-il alors. « Et ensuite, j'irai chercher un peu de miel. »

Soudain, une voix s'élève d'un arbre voisin.

« Chapitre un : La naissance d'un génie. Un vent rafraîchissant souffla à travers le bois... »
Winnie et Bourriquet se retournent pour voir d'où provient cette voix qui ressemble d'ailleurs beaucoup à celle de Maître Hibou.

C’est bien Maître Hibou ! Il déclame des histoires qu’il a écrites sur sa vie. Il arrête alors sa lecture lorsque ses amis lui parlent de la disparition de la queue de Bourriquet et propose une idée. « Nous allons écrire un avis promettant une importante récompense pour celui qui trouvera une queue de rechange à Bourriquet » déclare Maître Hibou. Puis il s’envole pour aller demander de l’aide à Jean-Christophe.

Tout le monde se réunit devant la maison de Jean-Christophe. Même si les pancartes sont mal orthographiées, tous comprennent qu'il s'agit d'une réunion au sujet d'une Chose Très Importante à Faire. En effet, Jean-Christophe décide d'organiser un concours pour trouver une nouvelle queue à Bourriquet.
Le gagnant obtiendra un prix spécial : un pot de miel !

Winnie et son ventre sont impatients de commencer !
Bientôt, Winnie trouve la queue parfaite pour
Bourriquet. C'est son horloge-coucou.
Cela fonctionne jusqu'à ce que Bourriquet s'assoie.
CRAC !

Puis, Porcinet propose à Bourriquet son ami Ballon afin de remplacer sa queue. Mais cela ne fonctionne pas non plus !

Bientôt, tout le monde vient présenter à Bourriquet plusieurs sortes de queues. Mais aucune d’entre elles n’est aussi bien que l’ancienne.

Enfin, Bourriquet essaie l'écharpe de Maman Gourou.
Il est très heureux avec cette nouvelle queue.
Maman Gourou ressent la même chose en pensant
à sa récompense : le pot de miel.

En attendant, tant que Winnie n'aura pas trouvé
de miel, son ventre ne lui laissera aucun répit.
Il repart donc en quête de miel, et trouve sur
son chemin un fil de laine posé sur le sol.
Il le suit et tombe droit sur Bourriquet.

« C'est ta nouvelle queue ? », demande Winnie.
« Oui, répond Bourriquet. Détricotée.
Peu importe. Toutes les bonnes choses
ont une fin. »

Puis, Winnie atterrit devant la maison de Jean-Christophe, où lui et son ventre espèrent bien trouver un peu de miel. Mais Jean-Christophe n'est pas chez lui. Winnie aperçoit alors un message étrange laissé sur le pas de la porte et décide d'aller le montrer à Maître Hibou.

« Fais-moi voir », dit Maître Hibou. « Il n'y a jamais eu de message écrit que je ne puisse déchiffrer. Ça dit : “Sorti, suis occupé, Poil Long. Signé, Jean-Christophe.” »

« Notre cher ami Jean-Christophe a été capturé par une créature appelée le Poil Long ! » s'exclame Maître Hibou.

« Qu'est-ce qu'un Poil Long ? » demande Petit Gourou. Maître Hibou dessine alors un monstre à la fourrure hirsute avec des cornes. Il raconte que le Poil Long est une créature stupide qui griffonne dans les livres de la bibliothèque, gaspille le lait, et fait des trous dans les chaussettes.
« Il est malicieux, féroce, et pire que tout... terriblement occupé ! » crie-t-il.

Coco Lapin trouve un plan pour porter secours à Jean-Christophe. Il s’agit de recueillir des choses que le Poil Long aime bien et de les déposer le long d’un chemin qui mène à une fosse. Ainsi ils piègeront le Poil Long dans la fosse et ne le laisseront sortir que s’il accepte de libérer Jean-Christophe.

Alors que tout le monde s'empresse de recueillir les objets qu'apprécie le Poil Long, Winnie et Porcinet partent creuser la fosse. Winnie supervise pendant que Porcinet creuse, et creuse.

Puis, Porcinet et Winnie couvrent la fosse avec une nappe et utilisent de lourds cailloux pour la maintenir au sol. Enfin, Porcinet place un pot de miel vide au centre de la nappe pour faire en sorte que le piège ressemble à un pique-nique.

Pendant ce temps, Tigrou décide d'aller attraper le Poil Long tout seul. Soudain, il aperçoit quelque chose bouger dans les bois et bondit. Mais ce n'est que Bourriquet qui est à la traîne.
« Toi et moi allons capturer ce Poil Long ensemble ! » crie Tigrou en emmenant à travers bois un Bourriquet au pas lourd.

« Mon pote ! », dit Tigrou enthousiaste, « Si tu veux bondir sur l'ennemi, tu dois avoir du ressort. Et pour cela, nous devons te Tigrou-iser ! »

Puis, Tigrou se déguise en Poil Long pour apprendre à Bourriquet comment l'attraper. Mais le pauvre Bourriquet a assez bondi pour la journée.

Soudain, Tigrou perd Bourriquet de vue.
Il a peur que le Poil Long n'ait encore frappé
et emmené Bourriquet !
Tigrou continue à chercher son ami, ne réalisant pas
qu'en réalité Bourriquet se cache… de lui !

Pendant ce temps le reste des amis se dirige vers la fosse pour attendre le Poil Long.
De son côté, Winnie a tellement faim qu'il commence à voir un océan rempli de miel et de pots de miel.
Mais aussi soudainement qu'il avait commencé, le rêve de Winnie prend fin. Et, au lieu de barboter dans un océan de miel, il est en train de se rouler dans une flaque de boue !

Winnie se nettoie et aperçoit un vrai pot de miel
au milieu d'un pique-nique.
Winnie et son ventre ont oublié le piège mis en place
avec Porcinet pour capturer le Poil Long.
Au moment où Winnie s'en rappelle, il est trop tard !

MIEL

Quand le reste des amis arrive, ils entendent des bruits venant de la fosse. Ils se cramponnent de peur les uns aux autres.
« Le plan a marché ! » s'écrie Coco Lapin.
« Nous avons attrapé le Poil Long ! »
Mais le Poil Long s'avère être Winnie avec un pot de miel vide enfoncé sur la tête.

À ce moment, Bourriquet arrive, portant une ancre en guise de queue. Coco Lapin propose d'utiliser l'ancre pour sauver Winnie.
Coco Lapin récupère l'ancre pendant que le reste du groupe tient la chaîne. Puis, il jette l'ancre dans la fosse, et tous les amis tombent avec elle... tous sauf Porcinet.

Pour les sortir de là, Coco Lapin demande à Porcinet, effrayé, d'aller chercher la corde à sauter chez Jean-Christophe.
« Mmm-m-moi tout seul ? » s'exclame Porcinet.
Maître Hibou vole alors hors de la fosse pour encourager Porcinet avec un discours sur la bravoure.
Puis Maître Hibou revient en volant au fond de la fosse, sans que personne ne s'en aperçoive.

Un Porcinet nerveux fait chemin à travers le bois sombre et effrayant. Il lève soudain les yeux et voit dans un arbre un monstre aux yeux rouges lui lancer un regard terrifiant !
Porcinet se rend compte qu'il s'agit en fait de son ami Ballon. Il tire Ballon et le libère des branches, lorsqu'une ombre géante surgit vers lui.

Lorsque Porcinet se retourne, il croit voir le Poil Long. Il ne se rend pas compte que ce n'est que Tigrou déguisé en Poil Long.
« P-P-P-Poil Long ! » crie Porcinet.
Il saisit Ballon et court aussi vite que possible, poursuivi par Tigrou.
Ils finissent alors par tomber tous les trois dans la fosse, avec les autres.
Puis, Porcinet lâche Ballon qui flotte dans les airs, hors de la fosse.
« Tu dois nous aider à sortir d'ici ! » lui crie Porcinet.

Pendant que Maître Hibou est occupé à raconter à tout le monde une très longue histoire, Winnie regarde en l'air et aperçoit, au bord de la fosse, le pot de miel que Tigrou avait mis à son pied pour se déguiser en Poil Long. Lui et son ventre décident qu'il est grand temps de construire une échelle de lettres pour sortir aller chercher ce pot de miel.

Quand Winnie sort enfin de la fosse,
il regarde à l'intérieur du pot de miel.
« Vide » soupire-t-il en jetant le pot
de miel par-dessus son épaule.
Le pot de miel atterrit alors sur la tête
de Maître Hibou !
Tout à coup, Coco Lapin remarque
l'échelle de lettres de Winnie.
« Nous pouvons sortir ! » se réjouit-il.

Hors de la fosse, les amis entendent un bruit provenant des buissons !
« Poil Long ! » s'écrient-ils de nouveau.
Mais ce n'est que Jean-Christophe et Ballon.
« Comment avez-vous échappé au Poil Long ? » lui demande Coco Lapin.
« Qu'est-ce donc qu'un Poil Long ? » s'étonne Jean-Christophe.

Maître Hibou explique tout à Jean-Christophe et Winnie montre le message. Jean-Christophe se met à rire. Il explique qu'il avait écrit « Pas long », pas « Poil Long ».
Tout cela n'est qu'un stupide malentendu !

Comme il est un peu tard, Jean-Christophe suggère qu'ils rentrent tous à la maison. Mais avant cela, Coco Lapin donne à Ballon le pot de miel en récompense, pour avoir retrouvé Jean-Christophe et l'avoir amené jusqu'à la fosse.

De son côté, Winnie ne peut toujours pas se reposer tant que son ventre n'est pas plein. Ainsi, se rappelant le pot de miel qu'il y avait dans la maison de Maître Hibou, il retourne là-bas et sonne en tirant sur la nouvelle corde de la cloche de Maître Hibou. Il observe la corde de la cloche pendant un moment, se disant qu'elle lui semble bien familière.

Maître Hibou ouvre la porte et invite Winnie à rentrer.
Et il se met à lui raconter comment il a trouvé,
suspendue au-dessus d'un buisson de chardons,
la nouvelle corde pour sa cloche.
« Personne ne semblait en vouloir », déclare Maître
Hibou. « Alors je l'ai apportée à la maison. »

«Mais quelqu'un en voulait,
Maître Hibou », dit Winnie.
« Bourriquet ! Il l'adorait,
il était attaché à elle. »
« Oh, oui » répond Maître
Hibou. « Bien sûr, c'est
la queue de Bourriquet.
Je la gardais juste en
sécurité pour lui. »

Winnie doit ramener sa queue à Bourriquet immédiatement. Et, lui et son ventre partent sans même goûter au miel de Maître Hibou. Bourriquet essaie sa nouvelle “ancienne” queue. « On dirait qu’elle a la bonne longueur. Le nœud rose donne une jolie touche. Elle est vraiment tendance, aussi », annonce-t-il.